D0291436

Volker Brauns *Iphigenie in Freiheit* ist die Iphigenie von Euripides, Sophokles, Goethe – und doch eine andere: eine Figur von heute. Erneut ist sie die einsame Gefangene, die Heimwehkranke, Priesterin und Wahrheitsliebende, eine Bühnenfigur allerdings auf der Bühne dieser Welt: der eigenartig taumelnden Welt der Nach-Wende-Zeit, der Noch- und Nicht-mehr-DDR, der Noch-nicht- und Schon-BRD. Und wieder, auch hier, gehört Iphigenie einer Familie an, »die sich schlachtet«, indes, und wie es sich in unseren Tagen gehört, vor laufender Kamera, vor einem Publikum, das Teil der Inszenierung unseres Welttheaters ist: »Und von jetzt ab und eine ganze Zeit wird es keinen Sieger mehr geben, sondern nur mehr Besiegte.«

Eine merkwürdig irrlichternde, von jähem Wechsel bestimmte Freiheit ist das, die unsere Iphigenie heute vorfindet, und so verwundert es nicht, daß ihre »Rolle« sich drastisch verändert hat: »Entwaffnet von der Werbung, geht Iphigenie handeln mit der Lust und mit der Liebe.«

Volker Brauns szenischer Text ist ein blitzgescheites, listiges, aufklärerisches, kraftvolles Stück Literatur, ist Gesang und Abgesang, ist: ein Stück über die Geschichte unserer jüngsten Geschichte, die auf ihre Aufarbeitung wartet. *Iphigenie in Freiheit* ist eine an Anspielungen und Zitaten reiche dramatische Arbeit, ein literarischer und politischer Beitrag zur »Bewältigung« dessen, was in den deutschen Ländern nach 1989 geschehen ist. »Nach der Kolonisierung«, so gibt Volker Braun zu bedenken, »sind Sieger und Besiegte ununterscheidbar in ihrer beliebigen Tätigkeit, die die Individualität auslöscht wie die Natur.«

Iphigenie in Freiheit ist ein Angebot, herrschende Meinungen – auf eigene, humane Möglichkeiten hin – in Frage zu stellen.

Volker Braun

Iphigenie in Freiheit

Suhrkamp

Erste Auflage 1992
© Suhrkamp Verlag Frankfurt am Main 1990
Satz: LibroSatz, Kriftel
Druck: Nomos Verlagsgesellschaft, Baden-Baden
Bindung: Münchner Industriebuchbinderei
Urban Meister GmbH
Printed in Germany
ISBN 3-518-40440-7

Iphigenie in Freiheit

1

SPIEGELZELT

Halt. Wer da. Nein, antworte du mir.
Wie ist die Losung. Was für eine Losung.
LANG LEBE und so weiter. Und verrecke
Die Losung hab ich verlernt. DAS VOLK /
    Ich bin Volker.
DU KOMMST GEWISSENHAFT AUF
    DEINE STUNDE.
Gewiß, aus der Haft . . . Abgesessen
Hab ich meine Zeit in meinem Lande.
Wie ich, Genosse. In der Sitzung. LAUT
BESCHLUSS. Sprich dich ruhig aus.
Am Trog der Treue. Am Strick des Staats.
DEM ABENDBROT ENTGEGEN. SEIT
    AN SEIT.
Auf welcher Seite. Wie mans nimmt.
Man nimmt es wie es kommt. So ist es, Bruder.
ES IST NICHT EINFACH, WENN MANS
    DOPPELT NIMMT

Warum kommst du. Bruder oder Schwester.
Ein wenig nur geschminkt wie ein Bericht
Liest du die Zeitung. MORD AN
    AGAMEMNON.
Hast du gesagt Schwester. Sagte ich das.
Schwester. Schwester. Schwester. Schwester.
    Schwester.
Ich bins: Elektra. Unrecht vergeht nicht.
Laß dich umarmen, liebes Ebenbild.
Du bist mein Bruder ich bin deine Schwester
Du täuschst mich nicht. Wäre ich blind
Für die Geschichte die ich kommen seh.
Mit deinem Auftrag dem Gebot der Götter
Was denn für Götter, glaube ich an Götter
Kommst du das Unrecht rächen, und die Toten
Schaun aus der blutigen Wäsche HEIL OREST

So bin ich dir wirklich verwandt? Verwandt.
Zugehörig dieser blutigen Verwundtschaft.
Ein trauriges Ende meiner spielenden Ju-
gendzeit. Ihr Wiesen. Du mein Bächlein.
Wie gern überredte ich mich, daß alles nur
ein Traum sei. Wenn ich sie nicht fühlte, nicht
sähe, die Wunde, die du auf meine zutrau-
liche Hand drücktest. Deine Lippen sind ein

8

Brenneisen, Bruder, mit dem du mich stempelst, jetzt gehöre ich einer Familie, die sich schlachtet. Ich reichte sie dir mutwillig. O der zärtlichen Verschlagenheit eines blöden Bruders. Der Kuß erweckt mich, sagte der Arzt. Du Liebenswürdiger, er sollte mich ersticken. Und nicht ein Kuß, viele. Wüßte ich, daß sie mich ersticken würden, ich würfe mich auf deinen Mund und ließe mich ließe mich ließe mich ließe mich ließe mich abschmatzen wie eine endlose Mahlzeit. Ich rase, ich Glückliche.

Vorbei die Langeweile Griechenlands.
Das öde Feld belebt sich, meine Seele.
DAS IST DER AUGENBLICK: DAS GLÜCK
    DAS GRAUEN
Ich bin nicht mehr allein bin die Komplizin
Aller Handlung. Kamera läuft.
Die Toten warten wild auf die Entscheidung:
Meine, o ihr Götter. Wer bin ich.
Du bist mein Bruder, denn ich sehe
Mich im Spiegel deines weißen Zorns.
Was für eine Familie MÖRDERVATER
MÖRDERMUTTER MUTTERMÖRDER.

Reiche ich ihm das Hackbeil für die Tat
Nach der Vorschrift, oder meine Hand
Wendet das Blatt

Ich steige aus, mein Junge. Ohne mich.
Das ist sehr langweilig, immer in der nämli-
chen Rüstung herumzulaufen und die näm-
lichen Waffen zu ziehn. So ein altmodisches
Instrument zu sein, auf dem ein Schlag immer nur einen Schrei ergibt. Ich verstehe
das Wort Strafe nicht. Ich sehe keinen
Hund, der uns länger zum Töten zwänge.
Übrigens, auf was sich stützen? Wir sind
Kinder wie das Volk und wollen alles erbre-
chen, um zu sehn, was darin steckt. Und
wenn es ginge – ich will lieber erschossen
werden als schießen. Ich werde nicht, du
wirst nicht, er wird nicht. Dann wollen wir
leben, sagen die jungen Weiber. Nicht
wahr, mein Junge? Das ist sehr lustig und
daß Millionen es so machen können und
daß die Welt obendrein aus zwei Hälften
besteht, die beide das Nämliche machen
können, so daß alles miteinander geschieht.
Das ist sehr lustig. Hackt man sich die

Füße ab für das Vaterland? Und endlich —
ich werd es nicht wagen. Komm, mein
Junge, ich werd es nicht wagen.

Da geht sie hin und glaubt sich aufs Wort.
Was ist heut für ein Tag?
Safttag.
So, dann ist es ein Safttag, an
Dem du heraus bist.
Du willst kein Blut
Auf dem Ärmel, aber
Willst Fleisch fressen.
Es ist genug im Kühlschrank
Bei deiner Mutter, wie!
In Mykene. Das Unrecht langt dir
Um davon zu leben. Du
Kämpfst nicht mehr sondern gehst
Jetzt heim gradewegs und scheißt
Auf das Unrecht
Das war die Rettung.
Da ist ein Zeitungsblatt!
Darin steht: daß alles Alte besser als alles
Neue ist.
Und so wie es bleibt ist es.
Das Morgenrot ist grün und der Mensch

Hat ein schönes Herz, aber
Er kann es herausschneiden im Supermarkt
Und wie mit jeder
Die verloren ist
Sache handeln. Riechst
Du das Glockenläuten?
Das ist eine lose Zeit
Für deine Feinde und ums Verrecken
Einig sind
Schlachtluft und Sommertag
Auf dem Golfplatz.
Spiele
Du nur auf das Loch zu.

Ums Verlecken. Ums Verlecken.
Kampf Elektraorest. Lachen Klytämnestras.

Glaubt ihr Menschen, daß man es nicht satt
     wird?
Es lebe der König!
Und von jetzt ab und eine ganze Zeit
Wird es keinen Sieger mehr geben
Sondern nur mehr Besiegte.
Ich brauche nichts. Ich bin da, da.

Der Fortschritt krebst ans Ende des Jahr-
   tausends
Auf meinen Füßen schleppt er seinen Leib
Und Spaniens Himmel breitet seine Sterne
UND DER MORGEN LEUCHTET IN DER
   FERNE.
Ich seh / Ich seh nichts. Was für Schlacke-
   himmel
Seit wir das Wetter selber machen / machen.
Er wirft wie eine Eisenwand das Wort
Zurück

2

IPHIGENIE IN FREIHEIT

Kyrillische Küste. Eine Statue.

ZUR SACHE, THOAS. Auf der Eiserne
    Vorhang.
Orest und Pylades die Fluchthelfer
Sind eingereist in Tauris. IPHIGENIE!
Mein Bruder und sein undurchsichtiger
    Freund
Ganz unverkleidet vor dem Aug des Feinds.
HIER IST SIE. IPHIGENIE. WOHL-
    BEHALTEN.
Sie treten angstlos auf den roten Platz
Unter dem hellen Himmel der wie Blut stürzt.
EIN WENIG ABGESCHABT VON DEN
    BARBAREN.
WAR ES EIN HARTES BETT. EIN HARTES
    BROT
HATTEST DU ZU KAUN BEI KÖNIG
    THOAS

WARST DU SEIN WEIB. / WIR WERDEN
    ES ERFAHREN. /
UND SEINE PRIESTERIN? / ICH GEB SIE
    FREI
Sagt Thoas mein Gebieter. SAGT ER FREI. /
WIE SIE ES WÜNSCHTE IMMER AUF DAS
    MEER
STARREND NACH GRIECHENLAND. /
    NACH WESTEN, WIE.
Er läßt mich los aus seinen Händen, seht ihr
Das Würgemal. So hat er mich geliebt
Für nichts als ein kindliches Lächeln. Thoas.
Was bin ich dir gewesen, König Thoas
Seit mich die Götter in dein Reich entrückten
Wie im Fluge in die bessere Welt
Aus dem Weltkrieg in den Weltfrieden.
Ich war bereit immer bereit zu dienen
Am Altar der Göttin jeden Fremdling
Tötend. Was für eine wahnsinnige
Liebe, Thoas, zur Sache, Thoas, und
Wer sie nicht fühlt den mußte ich erjagen.
Was trag ich für ein blutiges Gewand.
SIE SIEHT NOCH IMMER FERN, AUFS
    FLIMMERBILD

DER FREIHEIT. SCHWESTERCHEN. / WIR
    BRINGEN SIE. /
UND THOAS DULDETS. / ER IST
    AUFGEKLÄRT.
EIN AUFGEKLÄRTER HERR. / DER
    EDLE THOAS. /
ER IST EIN GUTER MENSCH GEWOR-
    DEN, EDEL
NICHTWAHR SEI DER MENSCH HILF-
    REICH UND GUT. /
SAGST DU NICHTS, SCHWESTERCHEN. /
    SIE SPRICH NICHT AN. /
WARUM NICHT, THOAS. / WEIL SIE
    STUMM IST, FREUND. /
SEIT WANN. SIE PLAPPERTE EINST WIE
    EIN BUCH. /
DA WAR SIE NOCH EIN KIND. Er sitzt
    mein König
Auf seinen Leichen Jeder Tod ein Fehler
Aus Fehlern wird man verrückt, wie. Das
    neue Denken
In seinem alten Kopf, mein alter Text
An dem ich würgte, den ich kotzte, schrie
Gegen die Brandung nachts am nackten Strand
Das Land der Griechen mit der Seele suchend

Der Kinderglaube an die heile Welt.
Jetzt hat er ihn und ist zum Kind geworden
Thoas zahnlos, und wiegt sich im Glauben
Daß er die Welt versöhnt mit süßen Sätzen
Unter dem hellen Himmel der wie Blut
     stürzt
Ein Heiliger aber halb verhungert
Kein Hemd am Leibe aber lächelnd wie
Ich, die ihn jetzt lieben darf. Mein Thoas.
ES IST DER KNAST DER IHM DIE
     ZÄHNE ZIEHT. /
ER LACHT, MEIN PYLADES, ALS WIE
     EIN GRIECHE. /
ER SAUGT SICH SEINE GÜTE AUS DEN
     KNOCHEN
DIE AUSGEBUDDELT WERDEN ZUR
     VERSORGUNG
DER BEVÖLKERUNG. ES WAR NICHTS
     DRAN
AN SEINEN FEINDEN, MACHEN SIE
     JETZT FETT. /
PROST GORBATSCHOW. VERTILGEN WIR
     EINEN. /
WIR HABEN NOCH EIN HÜHNCHEN
     MITEINANDER

17

ZU ZERRUPFEN. Wovon denn leben wenn
    die Toten
Ihr Fleisch zurückverlangen und ihr Blut.
Ich habe es an meinen Händen, Thoas.
Und die Lebenden in der Hungersteppe.
JETZT HEISST ES HANDELN. HILF,
    OREST. GESCHAFFEN
ZUM HANDELN IST DER MENSCH. /
    ZUMAL DER GRIECHE
EIN GRIECHE BIN ICH VOM
    GESCHLECHT DER HÄNDLER. /
DU SPRICHST EIN GROSSES WORT
    GELASSEN AUS. /
UND DU VERNIMMSTS. / DEIN WORT IN
    GOETHES OHR.
Ein Menschenhandel. Oder Warenhandel
Worum handelt es sich. Um ein Geschäft.
Mein Bruder braucht, das glaubt er, eine
    Schwester
Er hat die Fallsucht seit dem Mord an Mutter
Erde, jetzt jagt ihn die Erinnrung
Mit Hunden. Kann ihn einer heilen ich.
Die arme Schwester nimmt ihm seine Mutter
Vom Buckel, trage mich jetzt, eine Last
Die Gott lohnt. Faß mit an, Pylades.

NIMM SIE DIR, PYLADES. SIE IST EIN
   WEIB. /
UND MIR VERSPROCHEN HABEN SIE
   DIE GREMIEN.
Zwei fette Makler, Gangster auf dem Markt
Komm an die Kasse, Schwester. An mein
   Herz.
SIE IST NOCH SCHÖN, OREST. / WENN
   AUCH NICHT KLUG.
IN UNSRE SCHULE WIRD DIE SCHÖNE
   GEHN
UND RECHNEN LERNEN. / MIT DEN
   KNIEN, OREST.
Will ich befreit sein so von einem Bruder.
Ein Bruder der mich ausführt in die Welt.
Geschminkt gekleidet Iphigenie.
Iphigenie im Supermarkt.
Schaufensterpuppe Iphigenie.
Ab an den Herd. DU UNDANKBARES
   DING.
Du Arschloch. HELLAS HELLAS HELLAS!
Das steht am Bierzelt und pißt an die Wand
Und grölt Parolen mit dem Volk FREIHEIT
Und Marschmusik. Das kennt keine
   Verwandten

Und reißt sich dies mein Ländchen untern
     Nagel
Für ein Spottgeld. Es ist das Schwarze hier.
Die Freiheit, Schwester. FREIHEIT für das
     Freiwild.
HELLAS HELLAS HELLAS! Heim ins Reich.
Und was ich Thoas weigerte, pünktlich
Gewähr ich es. Nimm es dir, Pylades
Mein Eigentum. Entwaffnet von der Werbung
Geht Iphigenie handeln mit der Lust
Und mit der Liebe. Lust und Liebe sind
Die Fittiche zu großen Taten. Ja.
Ich weiß die Zeit, wo wir sie vor uns sahn.
Mein Pylades, wie wollte ich dich lieben.
Unter dem hellen Himmel der wie Blut stürzt.
WAS NEHM ICH IHR DENN. IHRE
     UNSCHULD, WIE. /
SOLL ICH DIR DEINE AUGEN ÖFFNEN,
     SCHWESTER.
ICH BIN DEN TRÄNEN NAHE, PYLADES
DIE HURE LÜGNERIN UND MÖRDERIN. /
IN IHREM SCHMIERIGEN GEWAND.
     NICHT WÄSCHT
DIESE REIN DIE WENDE IHRES
     SCHICKSALS

VERWOBEN GANZ INS GARN SIE DER
    GEWALT. /
ZIEH SIE AUS DIESER BLUTIGEN
    GOSSE, MANN
UND ZEIGE IHR WO GOTT WOHNT BEI
    DEN GRIECHEN
IN DER FOTZE. Arschloch Arschloch
    Arschloch.
Was für ein dunkles Land ist meine Liebe
Und Haß wächst aus dem Boden, wüstenhaft.
Mein Thoas steht zerrissen in dem Schauspiel
War das ein Leben, das sich lösen ließ
Zwischen uns sei Wahrheit! wessen Wahrheit.
Hier ist der Hain der Göttin: kahle Bäume
Und Lethe unser Flüßchen stinkt zum Himmel
Könnt ich vergessen, wo ich war und bin.
Ich trug sie froh im Busen, meine Wahrheit
Meinen Besitz auf dieser warmen Bühne
Die Lösung nur für mich und nicht für alle.
Ich Iphigenie frei der Saal geleimt.
Die schönen Reden gehen ein wie Öl
Der Pipelines, und in den Wellblechbaracken
Verfault das Arbeitsvieh im Maul den Knebel.
Der Frieden den ich stifte loht wie Krieg
Thoas Orest gegen den Rest der Welt

Ich hör die Truppen roh im Hafen trommeln.
Klassische Weisen. HALTE SIE, OREST. /
WAS IST DAS. MARMOR. EINE STATUE.
AUS GIPS. O PYLADES. / TATSÄCHLICH,
    TOT.
ODER ANTIK. EINE ANTIQUITÄT. /
WIE MAN SIE HANDELT JETZT. / WIE
    MAN SIE AUFLIEST
UM DEN PALAST. / RÜHR SIE NICHT AN,
    DU SCHWEIN. /
O SIE IST GUT, IHR GRIECHEN. / KUNST-
    STÜCK, THOAS. /
EIN FRACHTGUT. EDELMÜLL. HILF-
    REICHE KUNST. /
EUROPAS BESTES STÜCK. Ich Dreckgestalt
Vermählt mit meiner Landschaft. GOETHES
    BRAUT.
Schreiend verzweifelt sinnzerrauft
Und schlaflos kauernd auf dem Stampfbeton.
HIER IST APOLDA. / TAURIS. / KOREA.
Und in kein Ausland flüchtet sich die
    Hoffnung
Die wüste Erde ist der ganze Raum.
Jetzt wird es endlich schwer. Ich weiß nichts
    mehr

Und weiß wer ich bin. Ich bin Iphigenie
Und lebe dieses unlösbare Leben
Mit meinem Leib und meiner eignen Lust.
Ich lasse euch nicht los aus meinen Sinnen
Mein Thoas mein Orest mein Pylades
Griechen Barbaren eine wüste Welt
Lust Haß Lust. Dieses Gefühl
Ganz unauflöslich schneidet mich in Stücke
Und wirbelt mich wie Köder vor die Fische
Vögel pickt mich auf, Winde zerstreut mich
O Freude, in der Welt sein
Alles schmecken Tod und Leben. Thoas
Sag mir Leb wohl. Sags wieder: Lebe wohl.
LEBT WOHL. /
WAS LACHT SIE, DIE KAPUTTE. EINE
    IRRE. /
LASS SIE DEM THOAS. DEM
    VERLIEBTEN SKYTHEN
SIE SAGT IHM STUMM NOCH, WIE MAN
    MENSCHLICH LEBT. /
SIE WEISS ES NICHT, OREST. UND ALLE
    WIR NICHT
UNTER DEM HELLEN HIMMEL DER WIE
    BLUT STÜRZT.

WAS WEISS DER HUNGER UND WAS
    WEISS DIE MACHT.
ICH WEISS, DASS ICH VERLOREN BIN,
    IHR GRIECHEN.
MEIN HUNGERVOLK SAMMELT SICH IN
    DER STEPPE
ZUM HUNGERMARSCH IN EURE
    METROPOLEN
SEIN HUNGER NAGELT MICH IN
    MEINEN KREML
UND AUS DEM HUNGER SPEIST SICH
    UNSRE MACHT.
DIE DÜNE HIER, EIN BILD VON
    WEISSEM SAND
UND ES IST MUSCHELKIES, MILLIONEN
    KLEINER
ZERMAHLENER MUSCHELN KÖRPER,
    DIE DAS MEER
ANSCHWEMMT. SOVIEL ZERSTÖRTE
    KÖRPER, DASS ICH
DAS SCHÖNE BILD HAB. SCHWARZ DIE
    LAVA
REST EINER EINZIGEN KATASTROPHE.
ICH HABE DIE WAHL. RATE MIR, NATUR.
DIESES FESTE FLEISCH

LANGSAM ZERRIEBEN ODER DER
    FANGSCHUSS
DER GEDANKE DER MICH WIDERLEGT.
ICH TRAG IHN IN DER STIRN WIE EINE
    MINE
UND MEINE FREIHEIT IST ES, IHN ZU
    ZÜNDEN.
BLEIBT STEHN, GRIECHEN. KEINER
    VERLÄSST DEN RAUM. |
WAS MACHST DU, THOAS

WAS FÜR GESCHREI AM HAFEN. | EINE
    FRAU
SIE HAT IHR KIND AM LEIB ERDRÜCKT
    AUS ANGST. |
ERDRÜCKT AM LEIB, KALCHAS. | IHR
    KIND AM LEIB. |
AUS ANGST VOR DEN SOLDATEN. |
    NEIN, ZERSCHMETTERT
HAT SIE DAS KINDLEIN, HEISST ES, AN
    DER SCHIFFSWAND. |
SIE SPRANG INS WASSER JAUCHZEND
    WIE IM RAUSCH
GIERIGER FREIHEIT. | JAUCHZEND
    SAGST DU, KALCHAS. |

IHR JUBEL SPRANG SPITZ DURCH DIE
    BRANDUNG WIE
EIN MESSER

3

GELÄNDESPIEL

Ravensbrück: KZ und Supermarkt.

Komm Ähren stoppeln im Staatsemblem
Der Film läuft rückwärts aus der Stirn
Die Mauer wandert in den Mischer
Sand und Kalk und Bier erbrochen
Auf den Tisch vom Brigadier
Laß los du Hund! ertönt der Schrei
Aus dem Signum der Partei
Kapitel 2 der Weltgeschichte
Eine ausgerissene Seite, Elektra
ELEKTRIFIZIERUNG MINUS SOWJET-
    MACHT
Gleich Kapitalismus
Ein Warenfriedhof am Rand der Stadt
Antigone schiebt ihren toten Bruder
Im Einkaufswagen durchs KZ
Hier kannst du ihn nicht begraben, Kleine,
bei den Bodenpreisen. Er ist ja überhaupt

schon tot. Willst du ihn dein Leben lang durch die Straße fahren in dem Verkehr. Man verkehrt nicht mit Toten. Wessen Straße ist die Straße, wessen Geld ist das Geld. Wir wollen unsern KAISER wiederhaben, Wilhelm. Mit dem kommst du nicht durch die Kasse oder denkst du, der Tod ist umsonst. War er nicht überhaupt ein Schwuler. Ein Vaterlandsverräter. Hungerleider. Da könnte jeder kommen mit seinem Müll und ihn hier abladen in unserer Gegenwart. Verpiß dich oder es setzt was. Stell ihn in die Seifenabteilung. Der Weiße Riese. Heile heile Segen. Mach deinen Korb voll, Antigone, soll denn alles umkommen. *Der Tote zwischen großen Broten.* Ein Hamburger. Nein, ein Ravensbrücker. *Man betrachtet ihn mit gehörigem Respekt.* Verkosten wir ihn. *Der Andrang bewirkt einen Bodeneinbruch. Von unten:* Hier gibt es mehr. Mehr als genug.
Leuchtreklame: MIT GOTT FÜR KAISER UND.

4

ANTIKENSAAL

Eine Pinie ragt aus dem Rollfeld, das sich
einsam in den Acker streckt, aufrechtes Re-
likt einer bewaldeten Zeit, wie hätte sie Fuß
fassen können im Beton, der sie nun festhält
in der Gegend, der Wipfel zerspellt im tei-
gigen Licht, störrischer Schopf, der die Ge-
gebenheiten nicht wahrhaben will, vom
dunklen Rand der Piste sickert ein rötliches
Rinnsal unter die Schleusendeckel, Blut na-
türlich, der massigen Tiere, die im Acker
abgestochen werden, ihr dumpfes Brüllen
ununterscheidbar vom Fluglärm, oder ist es
das Geheul von einem Kriegsschauplatz, der
etwas abseits liegt im Orient, die Lautspre-
cher vereiteln eine genaue Wahrnehmung,
auch dröhnt Musik in die Szene, die SCHLA-
GER DER WOCHE, der MANN DER NE-
BEN DER STARTBAHN WOHNT, FÜR DIE
ER DEN BETON BEREITET, verharrt auf

die Schaufel gestützt und starrt in seine Behausung, aus der der Lärm zu dringen scheint, macht er eine Fünfzehn, ist er eingeschlafen oder einfach arbeitslos und steht, sein eigenes Denkmal, Erinnerung großer Zeiten, an dem gewohnten Arbeitsplatz, ER HAT SCHWIELEN AM KINN vom Schaufelstiel, aber ist keinem Flachs mehr zugänglich, um ihn her Spuren heroischer Tätigkeit, Halden, Schrotthaufen, die DURCHGEARBEITETE LANDSCHAFT, die HAT ES HINTER SICH, er starrt, mit seinen verwilderten Augen, auf das Bett, aus dem er sich erhoben hat zu seiner Übung, was treibt ihn an, steckt eine Frau dahinter, der er die Welt tapeziert, die Person, die jetzt aus der Tür tritt, so daß die Handlung beginnen könnte, falls sie nicht schon geendet hat, sie muß eine SCHÖNHEIT sein, wenn man seinem Blick glauben darf, den er jetzt senkt, SCHÖN ihre Arme und Brüste, ihre Gedanken, die die seinen gierig zärtlich umarmen, die sich auf seine werfen und ihn stürzen machen mit ihr auf den kalten Estrich, VON DER SCHÖNHEIT ÜBERWÄLTIGT, die er

nun überall sieht, wohin seine Augen grei-
fen, seine geräumige Haut, Gewohnheit, die
er beibehält: sich auf sie zu werfen, wo er die
Schönheit trifft, die SCHÖNERE WELT,
während sie ihn mustert mit mitleidigem Lächeln, das Kinn wie eine Hiebwaffe erhoben,
den Rock herausfordernd hochgerafft, die
Hand fährt über die Schamlippen, wie
schnell sich der Körper erinnert, er weiß die
Lust im Schlaf, aber sie wacht, wacht über
dem Rest des Mannes, der ihr zugewiesen
wurde vom Wohnungsamt, DEIN IST
MEIN GANZES HERZ, mein Lieber, warum ist er ihr untreu geworden, warum hat er
das Startloch verraten an die tägliche Renn-
bahn, CHEMIE BRINGT BROT WOHL-
STAND SCHÖNHEIT, ihre Eifersucht ver-
folgt ihn wie sein Schatten, den er in der
Hitze des Tages unter den Füßen hält, am
Abend aber kniet das vor ihm trauerfarben,
Negerin, die ihn rasend macht, HÖR MAL,
OB DEIN HERZ NOCH SCHLÄGT, und er
schreitet über sie weg an sein wahnwitziges
Werk, stampft sie ins Planum mit der Preß-
luftramme, harte Arbeit der Männer in der

freien Natur, die panisch aufblüht, ZUVIE-
LISATION! MÖRDER!, Wahnsinn zu dem er
verurteilt ist, und die Musik, Zymbeln und
Pfeifen, der entsetzliche Lärm rührt von
dem Tanz, mit dem die Frauen, rasend wie er,
die Länder durchziehn, CORDULA, I HA DI
LIEB! NATALIE, und vom Gurgeln der
Schlachthöfe, die den Schauplatz hermetisch
umschließen, und der Gestrafte, auffahrend
aus seiner antikischen Haltung, sticht das
Blatt der Schaufel in sein nutzloses Ge-
schlecht, die Hoden glitschen blutig auf den
Zementsack, er kippt ein Grinsen im weißen
Gesicht in endlosem Fall vornüber, den Flug
seines Lebens memorierend bis an den
schimmernden Anfang, Geburt und Tod die
eine Sekunde des Schmerzes der Freiheit, die
Umkehr im Urschleim, das Erstarren in der
weißen Erkenntnis, und fällt wie ein Stein in
den Schatten der Pinie, die verdorrt ist im
Flutlicht, der vermischt ist mit dem Schatten
der Frau, selber er jetzt ein Schatten, und
sein Samen mischt sich mit den Atomen des
Staubs, verzweifelte Hochzeit, Materie die
lieben lernt im Winter, auferstehendes Mehl,

Sprengsatz der Strukturen, Stoff für den
Hunger der Welt, der in die Türen tritt, ein
Kinderleib.

Anmerkung

Die Selbstbegegnung im Spiegel, Orestelektra (ein Schauspieler oder eine Schauspielerin) in das Geschehn gerissen: WENN DU DER BIST, DANN MUSS ICH DIE SEIN, der Moment des Erkennens der Sturz in ein Leben mit Folgen, Täter oder Verweigerer in der bekannten Geschichte, die tödlich ist so oder so, WENN WIR DAS BLATT NICHT WENDEN. Die Frage aller Fragen: nach der friedlichen *anderen Arbeit*, die vertagt scheint / die verschärft wird durch den Auftritt des alten Personals im neuen Tauris; was Thoas »macht«, wird die Erfahrung lehren. Nach der Kolonisierung sind Sieger und Besiegte ununterscheidbar in ihrer beliebigen Tätigkeit, die die Individualität auslöscht wie die Natur; der ausgegrenzte, der arbeitslose Rest der Gattung wird zum Gegenspieler, in Gestalt der Frau die ein Neger ist bzw. des Negers der eine Frau ist, Wahnsinn und Vernunft im vertauschten Kostüm eines Sa-

tyrspiels. – Die Szene ist der Raum der
Brust, den der Eiserne Vorhang abschließt,
er öffnet sich zum Bühnenraum der Handlung, der die Körper gleißend ausstellt, bis
sie das diffuse Licht ihrer stolzen Landschaft
aufschluckt.